EL PARTIDO DE FÚTBOL

1.ª edición: marzo 2016

Dirección de la colección: Olga Escobar

© Del texto: Ana Alonso, 2016
© De las ilustraciones: Antonia Santolaya, 2016
© Grupo Anaya, S. A., 2016
Juan Ignacio Luca de Tena, 15. 28027 Madrid
www.anayainfantilyjuvenil.com
www.pizcadesal.es
e-mail: anayainfantilyjuvenil@anaya.es

Diseño de cubierta:
Miguel Ángel Pacheco y Javier Serrano

ISBN: 978-84-698-0859-7
Depósito legal: M. 554/2016
Impreso en España - Printed in Spain

Las normas ortográficas seguidas son las establecidas por la Real Academia
Española en la *Ortografía de la lengua española*, publicada en 2010.

EL PARTIDO DE FÚTBOL

Ana Alonso

Ilustraciones de
Antonia Santolaya

ANAYA

JAVIER ES UN AMIGO DE LOLA.
LO QUE MÁS LE GUSTA ES JUGAR AL FÚTBOL.
HOY HAN QUEDADO EN EL PARQUE.
TAMBIÉN ESTÁN MAT, EL GATO,
LA JIRAFA JULIA Y EL HADA LISA.

Javier es un amigo de Lola.
Lo que más le gusta es jugar al fútbol.
Hoy han quedado en el parque.
También están Mat, el gato,
la jirafa Julia y el hada Lisa.

ADEMÁS, ESTÁ BEPO, UN LOBO AMIGO DE MAT.
JAVIER QUIERE JUGAR UN PARTIDO,
ASÍ QUE FORMAN DOS EQUIPOS.
EN UNO ESTÁN LOLA, MAT Y LA JIRAFA JULIA.

Además, está Bepo, un lobo amigo de Mat.
Javier quiere jugar un partido,
así que forman dos equipos.
En uno están Lola, Mat y la jirafa Julia.

EN EL SEGUNDO, ESTÁN BEPO,
JAVIER Y EL HADA LISA.
SE PONEN A JUGAR EL PARTIDO,
PERO NADA ES COMO DEBERÍA SER.

En el segundo, están Bepo,
Javier y el hada Lisa.
Se ponen a jugar el partido,
pero nada es como debería ser.

EL ÚNICO QUE SABE CÓMO SE JUEGA ES JAVIER.
PARA LOS DEMÁS, TODO ES NUEVO
Y NO PARAN DE EQUIVOCARSE.

El único que sabe cómo se juega es Javier.
Para los demás, todo es nuevo
y no paran de equivocarse.

BEPO SE PONE A BOTAR EL BALÓN
CON LA MANO.
—¡NO, BEPO, CON LA MANO NO, CON EL PIE!
BEPO SIGUE EL CONSEJO DE JAVIER
Y LE DA UNA PATADA AL BALÓN.

Bepo se pone a botar el balón
con la mano.
—¡No, Bepo, con la mano no, con el pie!
Bepo sigue el consejo de Javier
y le da una patada al balón.

UNA PATADA TAN FUERTE
QUE GOLPEA EN LA BOCA A MAT.
MAT SE PONE FURIOSO. TIENE UNA HERIDA
EN EL LABIO. DEJA EL CAMPO
Y VA A LAVARSE CON AGUA.

Una patada tan fuerte
que golpea en la boca a Mat.
Mat se pone furioso. Tiene una herida
en el labio. Deja el campo
y va a lavarse con agua.

BEPO ESTÁ CONTENTÍSIMO.
—¡LE HE DADO, LE HE DADO!
—¡BEPO! ¡NO ESTAMOS JUGANDO A LOS BOLOS!
¡NO DEBES GOLPEAR A NADIE!
¡DEBES METER LA PELOTA EN LA PORTERÍA!

Bepo está contentísimo.
—¡Le he dado, le he dado!
—¡Bepo! ¡No estamos jugando a los bolos!
¡No debes golpear a nadie!
¡Debes meter la pelota en la portería!

MAT DISPARA A LA PORTERÍA DE JULIA
Y METE UN GOL. SE PONE COMO LOCO.
—¡GOL, GOOOOOL! SOY UN AS DEL BALÓN.

Mat dispara a la portería de Julia
y mete un gol. Se pone como loco.
—¡Gol, goooool! Soy un as del balón.

—¡UN ASNO, MÁS BIEN! —LE INSULTA JULIA—.
TIENES QUE METER EL BALÓN
EN LA PORTERÍA DEL RIVAL.
¡ESTA ES LA PORTERÍA DE TU EQUIPO!

—¡Un asno, más bien! —le insulta Julia—.
Tienes que meter el balón
en la portería del rival.
¡Esta es la portería de tu equipo!

—PERDÓN, NO LO SABÍA.
AHORA BEPO SE VA CON EL BALÓN,
PERO LOLA SE LO ROBA Y SE LO PASA A MAT.

—Perdón, no lo sabía.
Ahora Bepo se va con el balón,
pero Lola se lo roba y se lo pasa a Mat.

MAT LE DA UNA PATADA, Y EL BALÓN
PASA COMO UNA BALA JUNTO A LOLA.
¡ESTÁ A PUNTO DE METERSE
EN LA PORTERÍA DE LISA!

Mat le da una patada, y el balón
pasa como una bala junto a Lola.
¡Está a punto de meterse
en la portería de Lisa!

PERO EL HADA LISA USA SUS PODERES
Y EL BALÓN SE QUEDA QUIETO EN EL AIRE.
TODOS LA MIRAN.
—¡ESO NO VALE! —SE QUEJA MAT—.
ASÍ NO SE PUEDE JUGAR.

Pero el hada Lisa usa sus poderes
y el balón se queda quieto en el aire.
Todos la miran.
—¡Eso no vale! —se queja Mat—.
Así no se puede jugar.

—LISA, NO PUEDES USAR TUS PODERES —LE RECUERDA LOLA A SU AMIGA. —¡PERO SIN MIS PODERES VOY A SER UNA PORTERA MALÍSIMA!

—Lisa, no puedes usar tus poderes —le recuerda Lola a su amiga. —¡Pero sin mis poderes voy a ser una portera malísima!

—ES IGUAL. GANAR NO ES LO MÁS IMPORTANTE
—LE CONTESTA LOLA—. LO IMPORTANTE
ES PASAR UN BUEN RATO CON LOS AMIGOS.

—Es igual. Ganar no es lo más importante
—le contesta Lola—. Lo importante
es pasar un buen rato con los amigos.

EL HADA LISA VUELA HASTA EL BALÓN,
LO TOCA CON SU VARITA Y EL BALÓN CAE
A LA HIERBA. LISA BAJA, Y EL PARTIDO SIGUE.
POCO A POCO, TODOS ACABAN
ENTENDIENDO LAS NORMAS.

El hada Lisa vuela hasta el balón,
lo toca con su varita y el balón cae
a la hierba. Lisa baja, y el partido sigue.
Poco a poco, todos acaban
entendiendo las normas.

AL FINAL GANA EL EQUIPO DE JAVIER
POR DOS GOLES A UNO. LISA SUSPIRA:
—BUENO, ¿PUEDO USAR MIS PODERES AHORA?
—¿PARA QUÉ? —QUIERE SABER JAVIER.

Al final gana el equipo de Javier
por dos goles a uno. Lisa suspira:
—Bueno, ¿puedo usar mis poderes ahora?
—¿Para qué? —quiere saber Javier.

—¡ENSEGUIDA LO VERÁS!
LISA LE DA UN BESO A LA PELOTA
Y LA PELOTA SE CONVIERTE EN UNA BOLSA
CON BOCATAS Y BATIDOS PARA TODOS.
¡QUÉ BIEN! ¡QUÉ MERIENDA TAN RICA!

—¡Enseguida lo verás!
Lisa le da un beso a la pelota
y la pelota se convierte en una bolsa
con bocatas y batidos para todos.
¡Qué bien! ¡Qué merienda tan rica!

CÓMO USAR LA COLECCIÓN

GUÍA PARA PADRES Y EDUCADORES

PEQUEPIZCA es una colección pensada para los niños que se están iniciando en la lectura. La introducción progresiva y acumulativa de los fonemas del español hará que se vayan familiarizando poco a poco con la ortografía de nuestra lengua. Al mismo tiempo, sus divertidas historias e ilustraciones facilitarán de un modo natural el hábito lector.

Si el niño está todavía aprendiendo a leer, convendría seguir los títulos de la colección por orden, empezando por el nivel más sencillo para ir progresando. Si ya conoce todos los fonemas, los libros pueden leerse en cualquier orden, aunque sin olvidar los distintos niveles de dificultad.

A la hora de ayudar a un niño a iniciarse en la lectura, hay que tener en cuenta:

- El método de lectoescritura que están utilizando en el colegio. Si ha aprendido primero las mayúsculas, debemos animarle a que empiece leyendo los textos en mayúsculas. Si ha empezado por las minúsculas, es preferible que empiece con los textos con letra manuscrita. Con los títulos en letra de imprenta (introducción de grupos consonánticos), irá adquiriendo soltura al leer y afianzando el hábito lector.
- Algunos niños aprenden fácilmente a relacionar los sonidos con las letras, mientras que otros tienen un estilo de aprendizaje más visual y tienden a reconocer palabras enteras. Sea cual sea su forma de aprender, debemos respetarlo y animarlo en su progreso.
- Por último, si el niño se fija primero en la ilustración, la comenta y «se inventa» el texto, no debemos regañarle, sino animarle a comparar lo que él ha dicho con lo que realmente pone en el libro. Fomentar la lectura interpretativa es bueno.

Leamos con él, respetando su ritmo, escuchándole y ofreciéndole nuestra ayuda si la requiere. Hagamos de la LECTURA una experiencia placentera para que poco a poco se convierta en un hábito.

TÍTULOS PUBLICADOS

LOLA Y EL OSO	a e i o u y (nexo y vocálica) l m s p n
LOLA TIENE UN DON	se añaden: t d ca co cu
EL MAPA ENCANTADO	se añaden: que qui
EL HADA LISA	se añade: h
MAT Y LA FAMA	se añaden: f g (ga go gu que gui)
UN COCHE PARA JULIA	se añaden: g (ge, gi) j ch r (-r-)
MAT ES UN SUPERGATO	se añaden: r (-rr-)
EL POZO MISTERIOSO	se añaden: z c (ce ci)
EL PARTIDO DE FÚTBOL	se añaden: b v
LA LLAVE DEL CASTILLO	se añaden: ll ñ x
¿DÓNDE ESTÁ MI ABRIGO?	se añaden los grupos consonánticos: bl br
¡SIEMPRE LO MISMO!	se añaden los grupos consonánticos: pl pr

PRÓXIMOS TÍTULOS

VAMOS EN EL TREN	se añade el grupo consonántico: tr
LA FIESTA DE DISFRACES	se añaden los grupos consonánticos: fr fl
EL ÁLBUM DE CROMOS	se añaden los grupos consonánticos: cr cl
¿QUIÉN GRITA?	se añaden los grupos consonánticos: gr gl